最後《さいご》はおばけを好《す》きになれるかも!?

さっそく読《よ》んでみよう!

【新装版】水木しげるのおばけ学校③

ブルートレインおばけ号

ブルートレインおばけ号《ごう》

登《とう》場《じょう》人《じん》物《ぶつ》

アッコ

こんちゅうさいしゅうにいって道《みち》にまよい、
ふしぎな経験《けいけん》をする。
小学《しょうがく》三年生《ねんせい》。

ゲン

アッコのおにいさん。
六年《ねん》ぼうず。

いたずら毛虫《けむし》

人間《にんげん》のことばをはなす。
鬼太郎《きたろう》
おばけのアイドル。
ねずみ男《おとこ》
口《くち》だけはたっしゃなわからんちん。なぜかにくめない。

なつのある日《ひ》、ゲンとアッコは、
こんちゅうさいしゅうに
出《で》かけました。
「ゲンちゃん、
あっちへにげたわよ！」
「オーケー、まかしとけ！」
ふたりは、うつくしいチョウを
おって、どんどん、山《やま》のおくへ、
入《はい》っていきました。
「つかまえたぞ！」
はじめて見《み》る虫《むし》ばかりで、
もうむちゅうです。

しばらくしてから、
ふたりは、どうもふんいきが
おかしいと、
思《おも》いはじめました。
道《みち》はあるにはあるが、
どうも、勝手《かって》がちがいます。
グルグルまわっているうちに、
日《ひ》がくれてしまいました。

ふたりが、とほうにくれて
すわりこんでいると、
とおくで汽《き》てきの音《おと》がします。
おどろいて、せんろの
そばまでいくと、妙《みょう》な
汽《き》車《しゃ》がはしっていきます。
妙《みょう》な汽《き》車《しゃ》は、ふたりの
まえで、とまりました。

おどろいたことに、汽車《きしゃ》の
運転手《うんてんしゅ》は、ねこと毛虫《けむし》でした。
「どうぞ、乗《の》っても
いいですよ。」
ものを言《い》うねこ⁉
ふたりは、ふきつな
思《おも》いをいだきながら、
乗《の》りこみました。

中《なか》へ入《はい》ると……。

ショック!!　おばけ、妖怪《ようかい》、妖怪《ようかい》、おばけ……!!

「うわーん。」

アッコはなきだし、ゲンは、おそろしさのあまり、声《こえ》も出《で》ません。

とびおりるにも、汽車《きしゃ》は、もうスピードではしっています。

すると、うしろのドアがあいて、車《しゃ》しょうが入《はい》ってきました。

鬼太郎《きたろう》とねずみ男《おとこ》です。

「なかないで、なかないで。おばけはそんなにこわいものではありません。みんないいやつばかりですよ。」

「ほんとですか……？」

ゲンは、半信半疑《はんしんはんぎ》です。

「だったら、一匹《ぴき》ずつしょうかいしてあげましょう。」

鬼太郎《きたろう》は、おばけのしょうかいを、はじめました。

やまびこ

「まず、これがやまびこというおばけ。山《やま》の中《なか》で、オーイと言《い》うと、オーイとことばがかえってくるだろう。あれは、こいつのしわざだよ。」

やまびこは、口《くち》まねこそしても、人《ひと》にがいをあたえることはありません。ぜんりょうなおばけです。

地方《ちほう》によっては、「呼子《よぶこ》」とも言《い》います。

「このこわい顔《かお》のおばけは、牛鬼《うしおに》といって、海《うみ》の中《なか》にすんでいるよ。」

むかしから、牛鬼《うしおに》のいるところでは、つりをしてはいけないといわれていました。

「そんな言《い》いつたえなんか、バカバカしくてまもれるかい。」

と、ひとりのわかものが、牛鬼《うしおに》のいる海《うみ》へ出《で》かけていきました。

ところが、ヤッとばかり、つりいとをおろすと、それをまっていたかのように、海面《かいめん》がもりあがり、すさまじい顔《かお》の牛鬼《うしおに》があらわれたのです。

わかものは、あわててにげだし、家《いえ》でブルブルふるえていました。

牛鬼《うしおに》はおいかけてきて、家《いえ》をゆっさゆさとゆさぶりました。

「もう、あそこで、つりはいたしません。」

わかものが、必死《ひっし》で謝《あやま》ると、

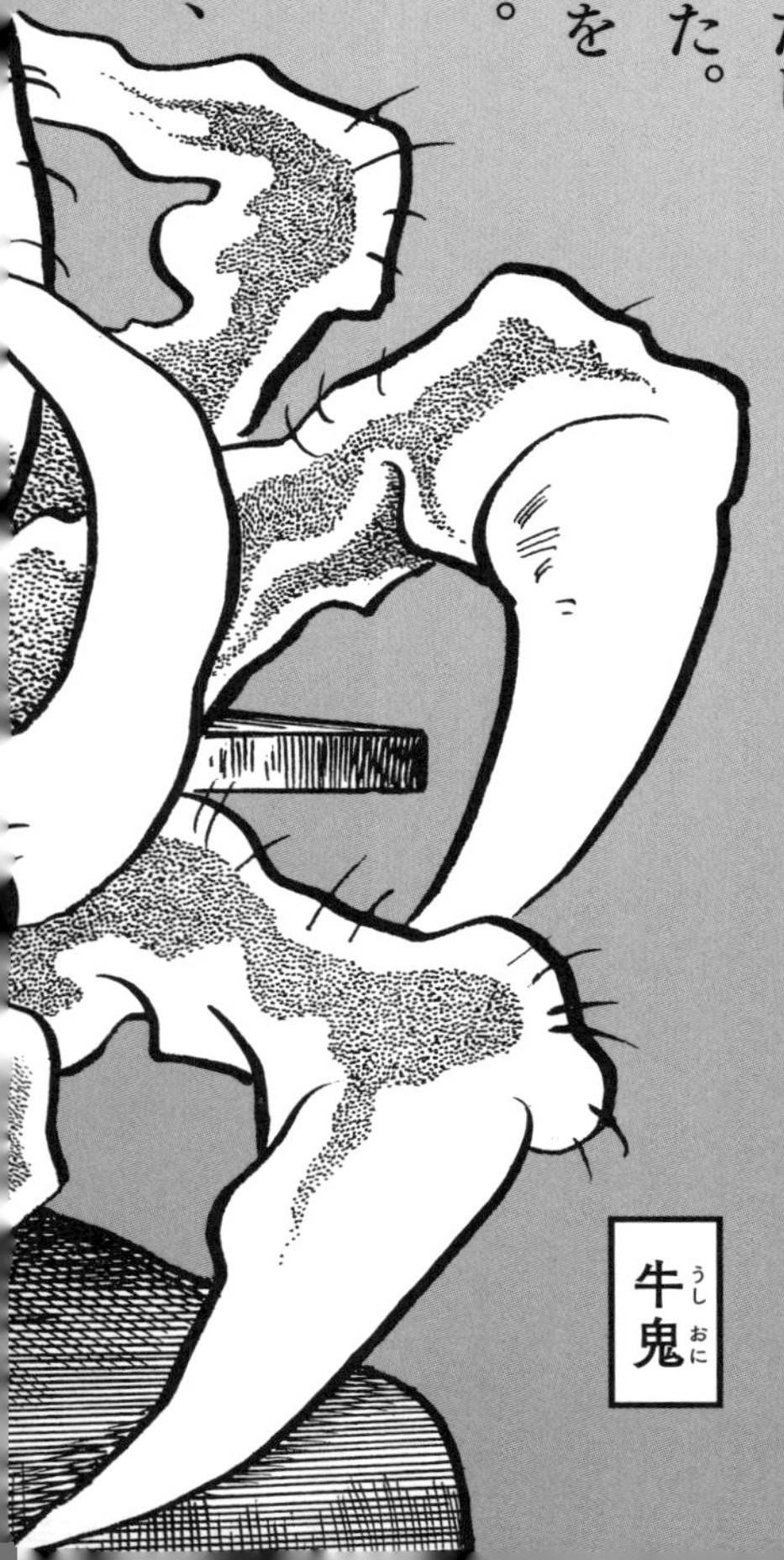

牛鬼《うしおに》

やっと牛鬼《うしおに》は
海《うみ》へかえり
ました。

「この子《こ》どものすがたをしたおばけは、あかなめというんだよ。」

あかなめは、ふろ場《ば》に出《で》るおばけです。

ふろ場《ば》のそうじをなまけて、ふろおけにアカをためていると、夜中《よなか》にやってきて、ペロペロとアカをなめるのです。

このきみのわるいおばけに、きてもらいたくなければ、いつもふろおけを、せいけつにしていればいいのです。

むかしの子《こ》どもは、あかなめがくるといけないからと、よくそうじをさせられたものです。

あかなめ

「つぎは、あずきとぎ。よく、小川《おがわ》のふちであずきをといでいるよ。」
しずかな夜《よる》、小川《おがわ》のふちにたつと、

　あずきとごうか
　人《ひと》とって食《く》おか
　ショキショキ

という歌《うた》や、あずきをとぐ音《おと》がきこえてきます。べつに人《ひと》をとって食《く》うわけではありません。そういう歌《うた》をうたって人《ひと》をおどかすのがすきなのです。

〈むかし、あずきとぎが出《で》た〉という小川《おがわ》は、いまでも、日本中《にほんじゅう》にたくさんのこっています。

　とにかく、あずきとぎは、あずきをとぐ音《おと》をさせるのがすきなのです。

あずきとぎ

「このおばけは、土《つち》ころびといってね、とうげなんかによく出《で》るんだよ。」

土《つち》ころびは、たびびとがとうげをこえるのをだまって見《み》ていて、下《した》のほうにおりかけたころ、上《うえ》からコロコロところがりおちていきます。

たびびとは、気《き》づかないでいると、下《した》じきになってしまいます。

でも、ケガをさせるわけではありません。

人《ひと》がたまげたりするのを見《み》るのが、すきなのです。

このいたずらおばけの正体《しょうたい》は、毛《け》のはえたヘビだとも、野《の》の霊《れい》だともいわれていますが、まだはっきりしていません。

日本中《にほんじゅう》にいて、鳥取県《とっとりけん》のほうでは、ころんできてすいつくともいわれています。

中部地方《ちゅうぶちほう》の山地《さんち》におおくいるといわれています。

土《つち》ころび

「この、キュウリのすきなおばけはカッパだよ。」

カッパは、川《かわ》の中《なか》にすんでいます。

とおりがかりの人《ひと》にせがんで、すもうをとるのがだいすきです。

カッパは、あたまに、水《みず》を入《い》れておくサラをもっています。

そのサラにたっぷり水《みず》が入《はい》っていれば、元気《げんき》百ばい。

水《みず》がなくなると、ゲンナリしてよわくなります。

だから、すもうをとるなら、しきりのときに、あたまをさげさせて、水《みず》をこぼさないと、とても勝《か》てません。

また、手《て》に水《みず》かきがあって、とても速《はや》く泳《およ》げます。

そのむかし、川《かわ》を泳《およ》いでいると、カッパに尻子玉《しりこだま》（こうもんにあるといわれているだいじな玉《たま》）をぬかれる、とおそれられていました。

なお、カッパのこうもんは、三つあるといわれています。

カッパにでべそはいません。というのは、もともとへそがないからです。

また、打《う》ちみや切《き》りきずによくきくクスリをしっています。

カッパ

「うわーっ。」
とつぜん、
あみだなから、

はさみのようなおばけが、とびおりてきました。
「こわがらなくてもいいよ。あみきりは、たいしたいたずらをするわけではないからね。」

だれもいないのに、かや（ねるとき、かをふせぐためにつるあみ）が、カミソリのようなもので切《き》られていることがあります。

それは、あみきりのしわざです。

りょう手《て》のさきについているはさみで、あみとかかやを切《き》るのがだいすきなおばけです。

すなかけばばぁ

「このおばあちゃんは、すなかけばばあっていうんだ。」

よく神社《じんじゃ》などにいくと、竹《たけ》やぶにすながパラパラかかったり、頭《あたま》の上《うえ》に、パラパラパラパラとおちてくることがあります。

これは、すがたこそ見《み》せないけれど、すなかけのおばばのしわざです。

なんのために、こんなことをするのかわかりません。

すなまきのいたずらが、おばあちゃんおばけの、たったひとつのたのしみなのです。

むかしは、奈良県《ならけん》によく出《で》たといわれています。

いまでは、日本中《にほんじゅう》の竹《たけ》やぶに出《で》てくるそうです。

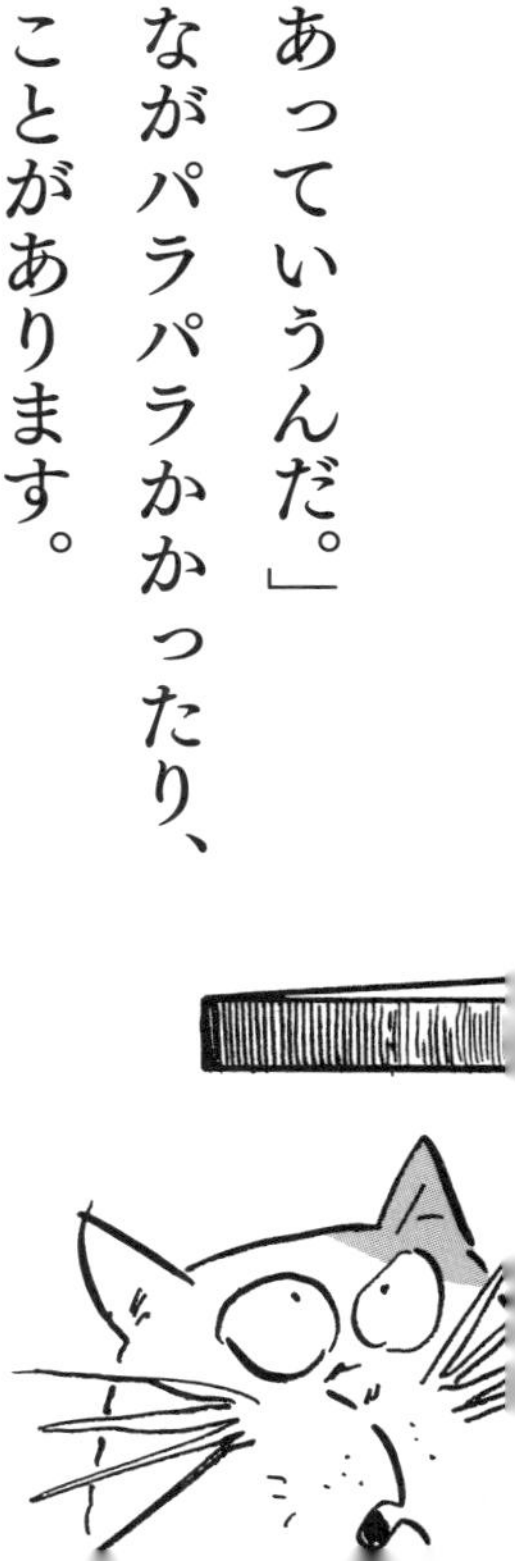

やまわろ

「このカニのすきなおじさんは、やまわろだよ。」

やまわろは、山《やま》にすんでいます。

あまりしゃべりませんが、人間《にんげん》の言《い》うことはわかります。

きこりが、山《やま》で切《き》った木《き》をはこべないでこまっていると、だまっててつだってくれたりします。

「はこんでくれたら、モチを二こやる。」

と言《い》っておいて、一こしかわたさないでいると、ものすごくおこるといいます。

オスとメスがいて、オスは人間《にんげん》にちかづきますが、メスはちかづきません。

カニがだいすきで、見《み》つけると、いきたままバリバリと食《た》べます。

むかし、わるいきこりが、モチだといって、白《しろ》い石《いし》をやったところ、しょうじきに食《た》べて、死《し》んでしまったといううわさもあります。

ドサーッ。
「これは、頭《あたま》だけのおばけだよ。」
山《やま》の中《なか》の木《き》の上《うえ》が、すみかです。
人《ひと》がとおると、なんのよこくもなしに、ストーンと、上《うえ》からおりてきます。
いきなり、こんなものが目《め》のまえにおちてくるので、たいていの人《ひと》は、
おどろいてひきかえします。
どうも、そんなことがおもしろくて
おちてくるようです。
いど水《みず》をくむのにつかうつるべのように、
ストンとおちて、
スルスルとのぼるので、
むかしの人《ひと》は、このおばけのことを、
つるべおとしとよびました。

てんじょうなめ

「したのながいこのおじさんのしごとは、なんだかわかるかい？」

おじさんのなまえは、てんじょうなめといいます。

よく、ふるい家《いえ》のてんじょうに、しみがついていることがあります。

あのしみをつけるのが、てんじょうなめのしごとなのです。

人《ひと》のねしずまった夜《よる》にあらわれて、なにも言《い》わず、一心《いっしん》にてんじょうをなめまわし、いろいろなかたちをしたしみをつけてかえるのです。

べつに、わるいことをするわけではありませんが、人《ひと》にすがたを見《み》られるのをきらいます。

マンションなど、コンクリートのたてものはにがてで、あまり出《で》てきません。

ふるい木造《もくぞう》けんちくが、すきです。

「これは、
輪入道《わにゅうどう》という
くるまの輪《わ》の
おばけだよ。」

むかしの京都《きょうと》のまち。
人《ひと》のねしずまったころ、
大《おお》きな音《おと》をたてて、
輪入道《わにゅうどう》がはしりまわりました。
見《み》て見《み》ないふりを
していると、
なんとも
ありません。
ところが、
おもしろはんぶんに、
戸《と》をあけたりすると、
子《こ》どもをさらって
いきました。

雪女《ゆきおんな》

「北国《きたぐに》のおばけは、なんと言《い》っても雪女《ゆきおんな》。」

やくそくを
やぶるのが
きらいで、
いちどでも
やくそくをやぶると、
フーッと、口《くち》から
つめたい風《かぜ》をだして、こおらせてしまいます。
また、ふぶきの夜《よる》にあらわれて、たびびとに子《こ》どもをだかせようとします。
「この子《こ》をだいてください……。」
たびびとが、かわいそうに思《おも》ってだくと、子《こ》どもはどんどんつめたくなり、たびびとはこごえ死《し》んでしまうのです。
雪《ゆき》のように色《いろ》の白《しろ》い美人《びじん》で、しんるいに、つらら女《おんな》や雪《ゆき》じじいなどがいます。いざというときには、おそろしい力《ちから》をはっきする一族《いちぞく》です。

「これは海《うみ》ぼうずで、その名《な》のとおり海《うみ》に出《で》るんだよ。」

あらしの海《うみ》で海《うみ》ぼうずを見《み》たら、そのふねは、かならずしずむといわれています。ふなのりに、きみわるがられているおばけです。

海《うみ》ぼうずの子《こ》どもと、すもうをとった人《ひと》のはなしでは、からだがヌルヌルしていてすべるので、勝負《しょうぶ》にならなかったということです。

海《うみ》ぼうず

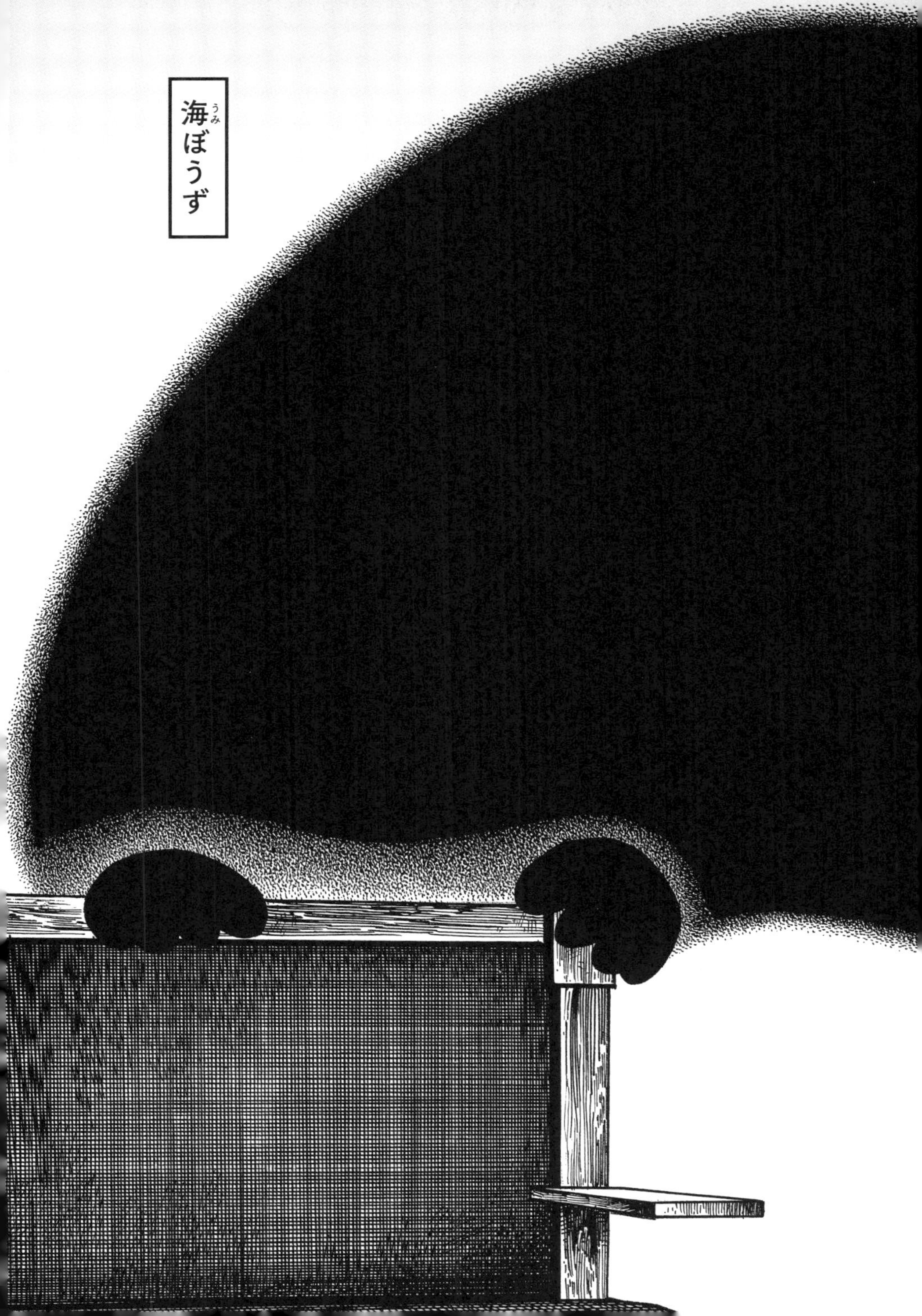

「これは、カキの実《み》のおばけだよ。」
タンコロリンは、タンタンコロリンともいいます。
カキの実《み》をながくとらないでおくと、この入道《にゅうどう》になるといわれます。
とつぜん、ぶきみな顔《かお》をしたものが、コロリンとおちてくるので、
たいていの人《ひと》がこしをぬかします。
家《いえ》にカキの木《き》のある人《ひと》は、じゅうぶん、注意《ちゅうい》してください。

タンコロリン

「このおかあさんおばけは、海《うみ》にょうぼうといって、にんぎょのしんるいだよ。」

海《うみ》にょうぼうは、海《うみ》ぼうずのおくさんだというせつもあり、海《うみ》にすんでいます。

むかし、島根半島《しまねはんとう》の漁村《ぎょそん》で、しおづけにした魚《さかな》が、まいばん二まいずつなくなりました。

村《むら》の人《ひと》があやしんで、てつ夜《や》で見《み》はっていると、海《うみ》にょうぼうが子《こ》どもをふたりつれて、魚《さかな》を食《た》べにきました。

子《こ》どもたちは、ムシャムシャと魚《さかな》を食《た》べましたが、海《うみ》にょうぼうは、けっして食《た》べようとしません。それで、村《むら》の人《ひと》は、ぼうでなぐるのをやめたということです。

海《うみ》にょうぼう

一反《いったん》もめん

「おばけの鹿児島県《かごしまけん》だいひょうといったら、なんといっても、この一反《いったん》もめんだね。」

ひらりひらりと、まるで一反《いったん》（やく十一メートル）のもめんが、空《そら》をとんでいるように見《み》えます。ゆうがた、空《そら》をふわりふわりとまって、人間《にんげん》をおどろかせるのがしゅみです。

これににたおばけで、かみまいというのがいます。これは、あるときとつぜん、かみがふわりふわりと、とびだすのです。

たぶん、一反《いったん》もめんのしんるいだろうと、思《おも》われます。

老人火《ろうじんび》

「つぎは火《ひ》のおばけだよ。この老人《ろうじん》は火《ひ》のけらいでね、火《ひ》が消《き》えると、老人《ろうじん》もパッと消《き》えてしまうんだ。」

だれもいない山《やま》の中《なか》をいくと、よく老人火《ろうじんび》がついていることがあります。人間《にんげん》だと思《おも》って、老人《ろうじん》に話《はな》しかけると、パッと消《き》えてしまいます。

「えんらえんらは、けむりのおばけだよ。」
いまは、ガスやでんきをつかっているから、けむりは出《で》ません。
むかしは、なにをするにも火《ひ》をおこしていました。
火《ひ》をおこすと、いろいろなかたちのけむりが出《で》ます。
ふつうのけむりなら、おどろきませんが、とつぜん、けむりが
人《ひと》のかたちになって、おどりだしたら……!!
けむりの中《なか》に、たましいが入《はい》りこんで、けむりをあやつるのです。

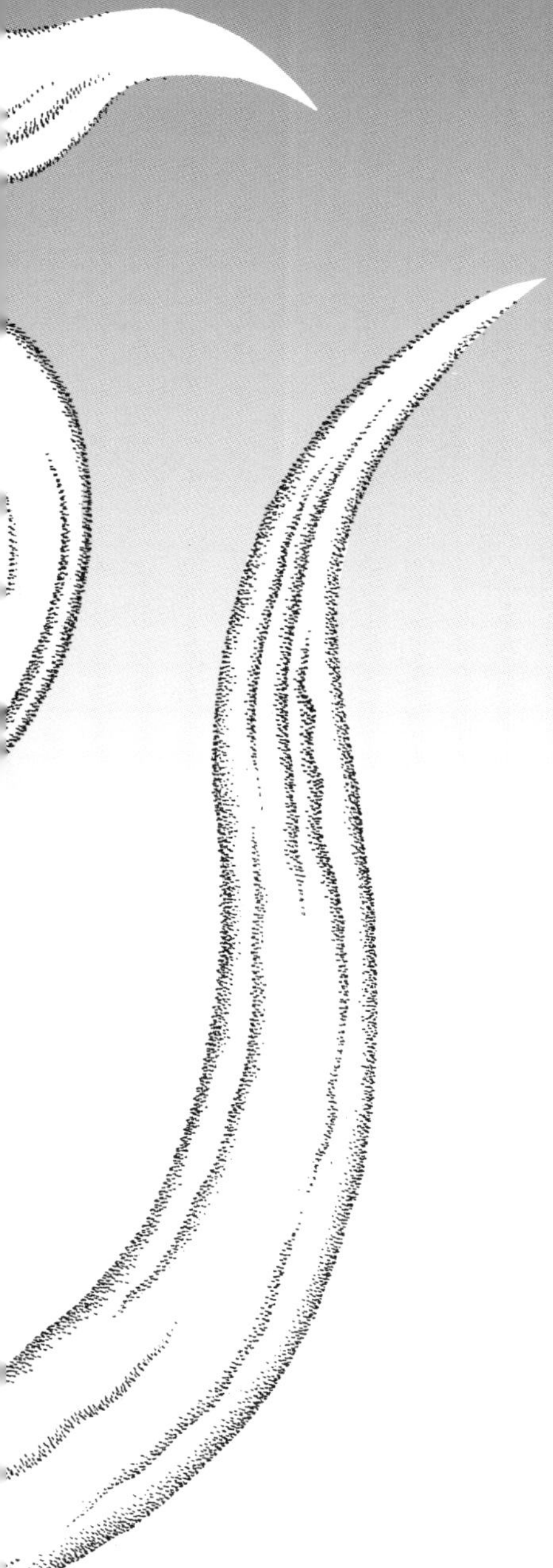

えんらえんら

「このあかんぼうは、川赤子《かわあかご》で、なき声《ごえ》のがっしょうがうまいよ。」
ふつうは、すがたをあらわしませんが、きょうは、
「ブルートレインおばけ号《ごう》」なので、とくべつに、すがたをみせています。
海《うみ》べや、川《かわ》などで、「オギャー、オギャー」と、
あかんぼうのなき声《ごえ》のすることがあります。
どこにいるのだろうと思《おも》って右《みぎ》にいくと、左《ひだり》のほうから、「オギャー」。
左《ひだり》にいくと、こんどはとんでもないほうから、「オギャー」。
さがすものを、まよわせてしまいます。
こういういたずらずきなおばけが、川赤子《かわあかご》です。
川《かわ》にすてられたあかんぼうが、川赤子《かわあかご》になったのだと言《い》う人《ひと》もいます。

川赤子《かわあかご》

「おっと、またあそんでる。
このヘビににたおかあちゃん
おばけは、ぬれ女《おんな》だよ。」
北陸地方《ほくりくちほう》の川《かわ》の上流《じょうりゅう》に
すんでいます。とくに、やなぎの
たくさんはえているところに
ひそんでいて、とおりがかった
人《ひと》をおそいます。
いちど、ぬれ女《おんな》のいかりに
ふれると、ものすごいいきおいで、
川《かわ》にひきずりこまれてしまいます。
やなぎの木《き》にはごようじん。

ぬれ女《おんな》

「このばかでかいおばけは、ぬりかべといってね、まるで、かべのように道《みち》をふさいでしまうんだ。」

ぬりかべは、夜《よる》、あらわれます。

あなたは、道《みち》はあるのに、ちっともまえへすすめないという経験《けいけん》をしたことはありませんか。

そんなときは、ぬりかべが道《みち》に立《た》ちはだかって、とおせんぼをしているのです。

たいていの人《ひと》はあせって、むりやりとおろうとします。

でも、それでは、ぎゃくこうか。ぬりかべにであったら、おちつきがかんじんです。

ゆっくり道《みち》ばたにこしをおろして、
いっぷくしてからあるきだすと、
ぬりかべは立《た》ちさっていきます。

ぬりかべ

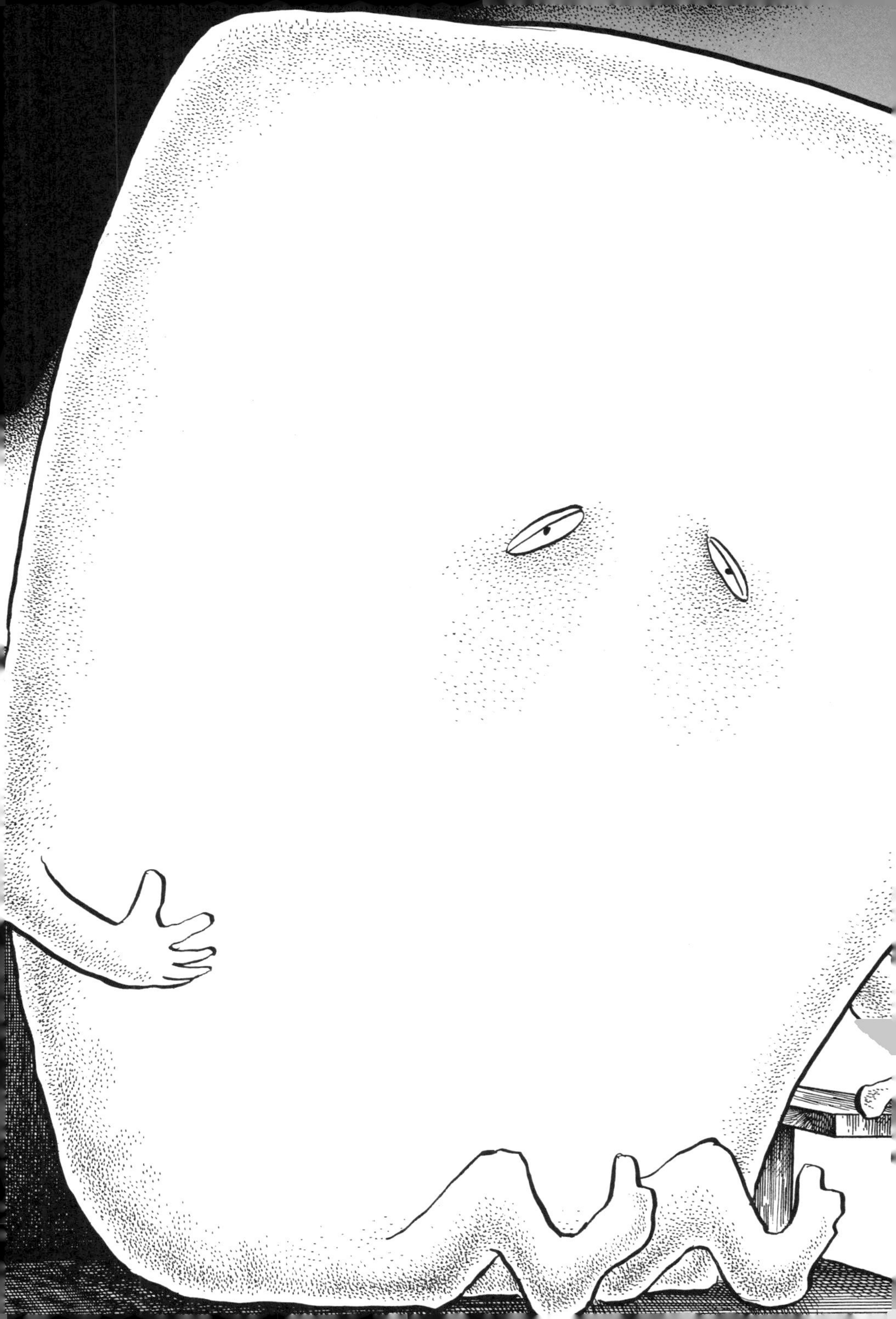

「いまでこそへったけれど、むかし、日本《にほん》には、かわうそがたくさんいたんだよ。」

としをとったかわうそは、ばけるといわれています。

魚《さかな》もすきですが、酒《さけ》もだいすきです。

北陸地方《ほくりくちほう》のかわうそは、夜《よる》、やぶれたゆかたをきて、とっくりをもって酒《さけ》をかいにきたそうです。

酒屋《さかや》が、あやしんで、名前《なまえ》をききました。

でも、かわうそは、

「アラヤ。」

としか言《い》えません。

「おまえ、かわうそだろ。」

ばれたかわうそは、あわててにげだしたということです。

たぬきとくんで、人間《にんげん》をおどかすのがとくいです。

かわうそ

「このおばけは、古寺《ふるでら》に出《で》るぬっぺっぽうだよ。」

だれもいない古寺《ふるでら》に、たびびとなどがとまっていると、夜中《よなか》になにものかのあるく音《おと》がきこえてきます。

みると、目《め》があるのかないのか、口《くち》があるのかないのか、まるでからだぜんたいが顔《かお》のようなおばけ！大《おお》あわてで、にげだすたびびと。

ことばをかわした人《ひと》もいないし、なにを食《た》べているのか、見《み》た人《ひと》もいません。

なにかを考《かんが》えているようにも見《み》えるし、かなしんでいるようにも見《み》えます。つかみどころのないおばけです。

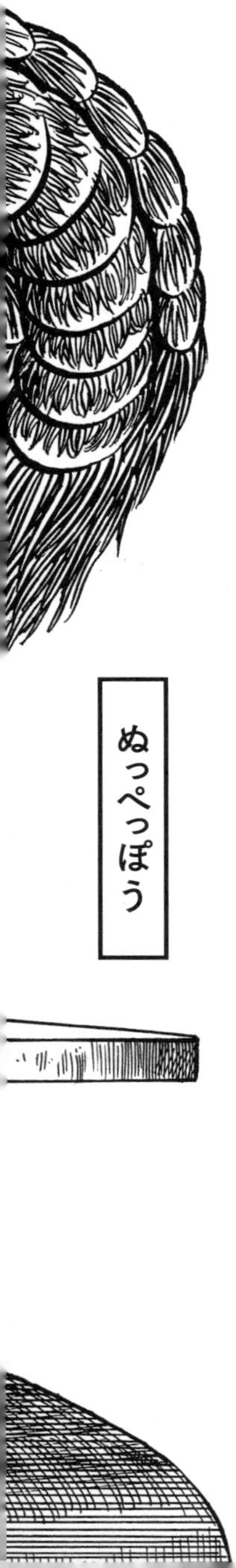

ぬっぺっぽう

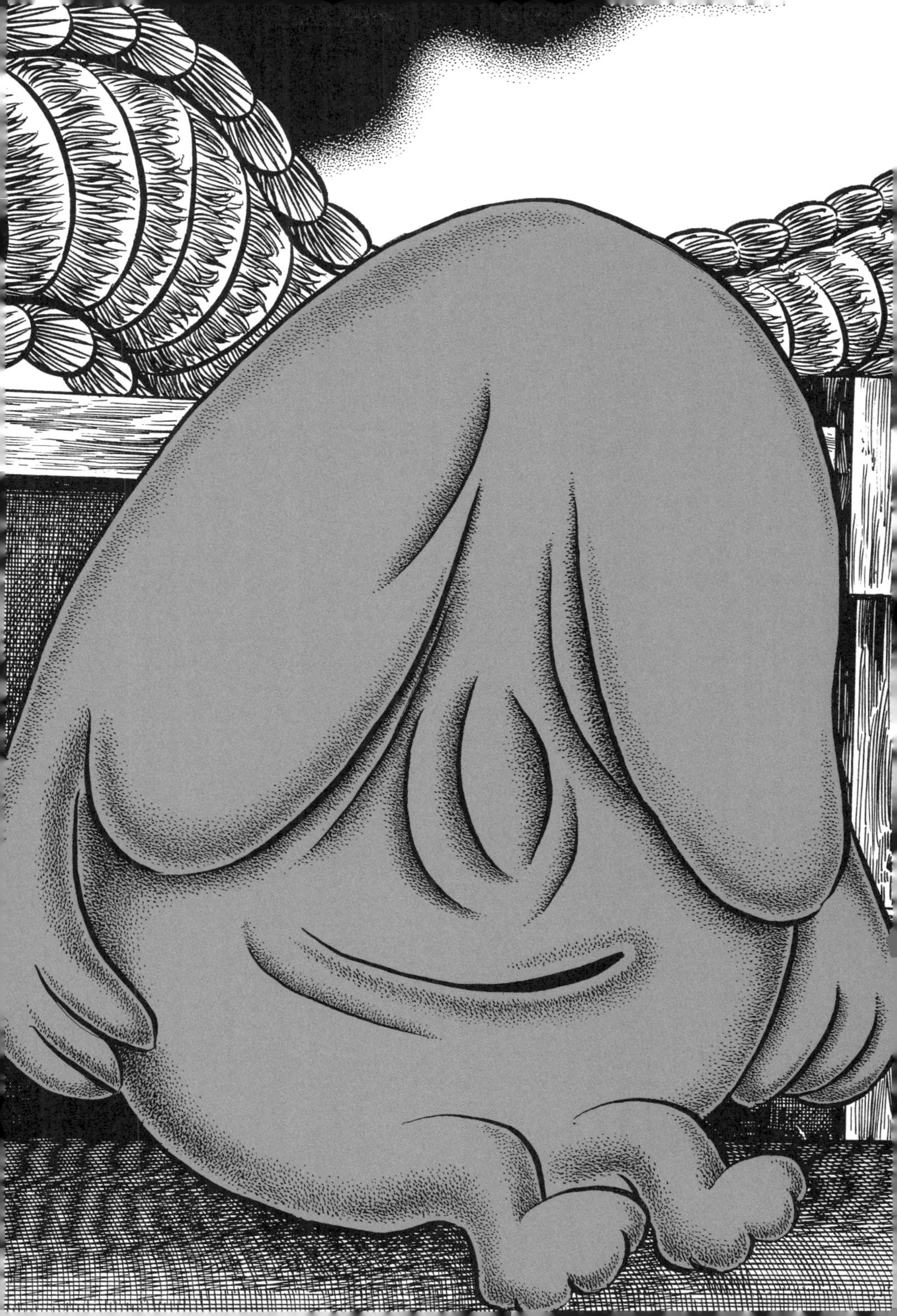

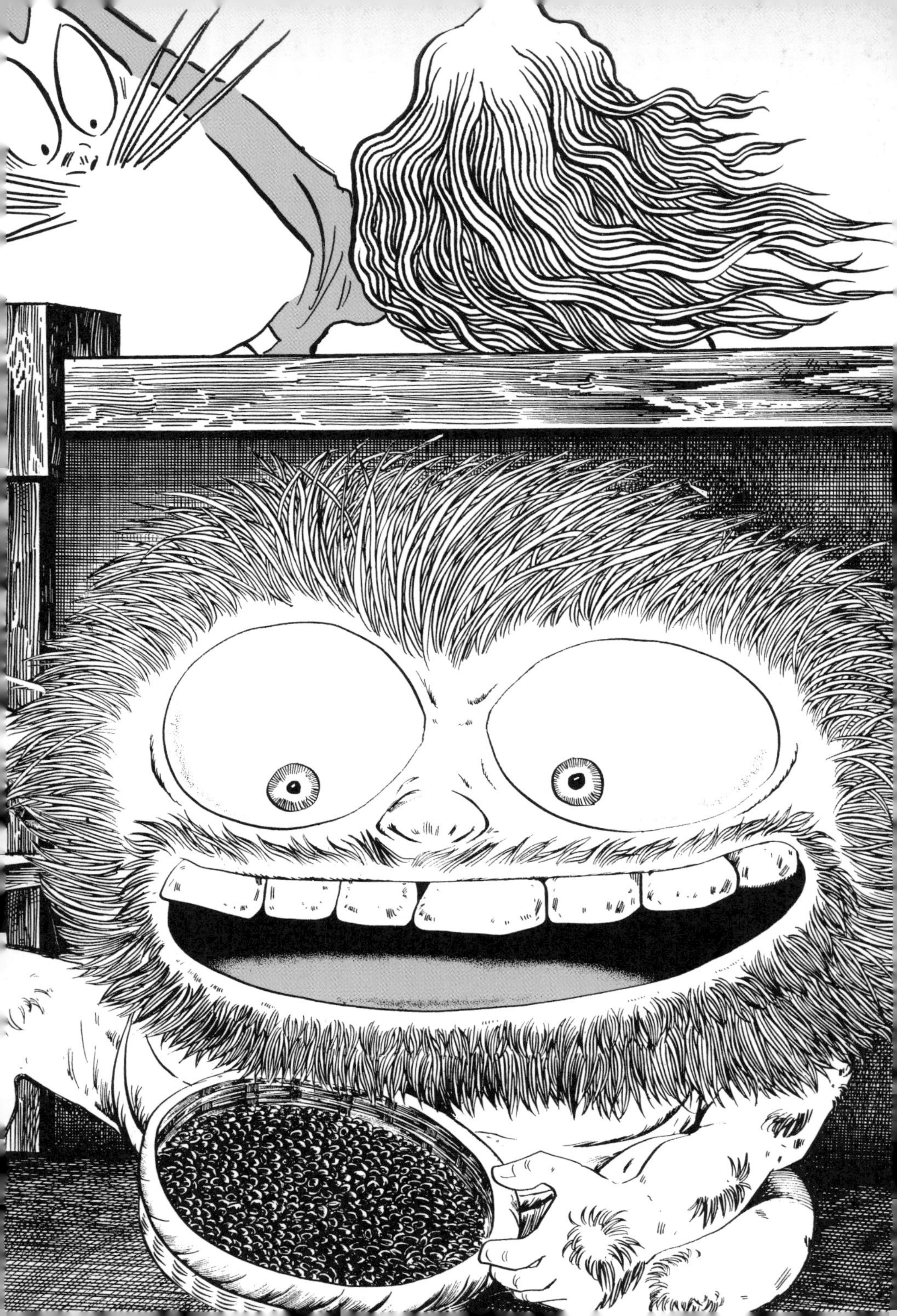

「このあずきはかりは、あずきとぎのしんるいだよ。」

あずきはかりは、てんじょううらで、あずきをとぎます。なみの音《おと》、あらしの音《おと》、カエルの声《こえ》など、とてもきようにならします。

江戸時代《えどじだい》、武家《ぶけ》やしきのてんじょううらにあらわれたあずきはかりは、一ばんじゅう、さまざまな音《おと》をだして、みんなをたのしませました。

また、べんじょのあたりを、うろついているところをとらえようとしたら、いっしゅんにして、消《き》えてしまったという話《はなし》もあります。

宇宙人《うちゅうじん》にちかいのうりょくをもっているのではないかとも、いわれています。

「これは、わるい
ゆめを食《た》べてくれる
ばくだよ。」

動物《どうぶつ》にも、ばくという名前《なまえ》の動物《どうぶつ》がいます。

おばけのばくは、ゾウの鼻《はな》、サイの目《め》、ウシの毛《け》、トラの足《あし》をしていて、ぜんたいがクマににています。

人《ひと》がねしずまったら、のそりとあらわれてわるいゆめを食《た》べてくれます。

「川猿《かわざる》は、カッパのしんるいのようなおばけだよ。」

川猿《かわざる》は、川《かわ》のそばの草原《そうげん》などにすんでいます。

子《こ》どもにばけて、人《ひと》と話《はな》すことができます。ちかづくと、魚《さかな》のにおいがします。

川猿《かわざる》をやっつけるには、けっして組《く》んではいけないといわれています。そうとう力《ちから》のある人《ひと》でも、川猿《かわざる》と組《く》めば、かならずかたやももをかじられるからです。

急所《きゅうしょ》は、目《め》とまたで、ここをせめると、たいていまいってしまいます。根《ね》はおくびょうで、やさしいところもあります。

助《たす》けてくれた人《ひと》のことは、よくおぼえており、おんがえしすることもあります。

子《こ》どもにばけて、酒《さけ》をかいにきますが、かわうそとちがって、神経《しんけい》がこまかいので、めったにへまはしません。

川猿《かわざる》

「この小《ちい》さなおばけはね、
そでひきこぞうっていうんだよ。」
日《ひ》ぐれどき、ゆかたなどをきて、
さんぽしていると、ぐいぐいと、
そでをひっぱられることがあります。
ハッと思《おも》ってふりむいても、
だれもいません。
そういういたずらのすきなおばけです。
むかし、埼玉地方《さいたまちほう》によく出《で》たといわれます。
田《た》のあぜ道《みち》や、人家《じんか》のまばらな村《むら》の小道《こみち》に
出《で》てきます。

そでひきこぞう

鬼太郎《きたろう》たちがちかづくと、いきなり、

「うわん‼」

と言《い》って、立《た》ちあがったおばけがいました。

「これは、うわんというただの一声《こえ》だけをはっするおばけだよ。」


いなかのふるい家《いえ》のかべの上《うえ》から、いきなり、

「うわん」と出《で》てくるので、こうよばれています。ある地方《ちほう》では、うわんが一ばんじゅう出《で》たという記録《きろく》がのこっていますが、ふつうは一声《こえ》「うわん」と言《い》って消《き》えます。


なんのために、そんなことをするのか、だれにもわかっていません。

うわん

「このおばけは、ぬりぼうといってね、ぬりかべのしんるいだよ。」

ぬりぼうは、ぬりかべのように道《みち》に立《た》ちはだかりますが、ぬりかべほど強力《きょうりょく》ではありません。

なんとなく、ぼーっとしていて、きりでもなく、木《き》でもなく、へんなかたちで、道《みち》に立《た》ちはだかります。

おちついてすすむと、消《き》えてしまいます。

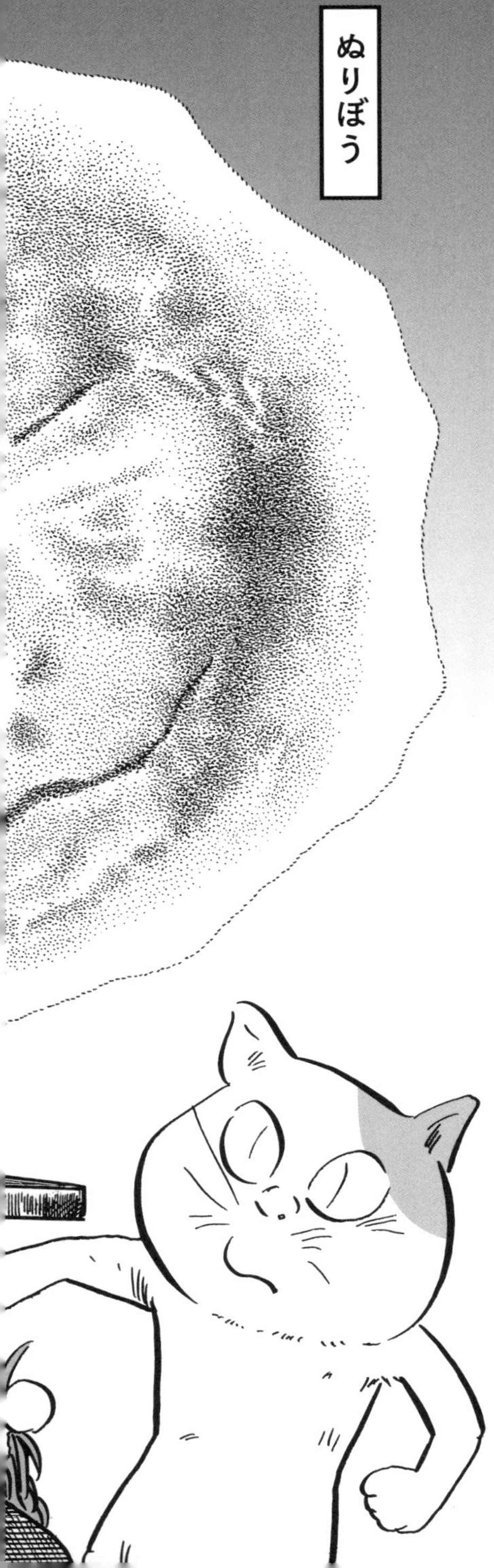

「この豆《まめ》だぬきはおもしろいよ。なにしろ、じぶんのキンタマに息《いき》をふきかけて、たたみ八枚分《まいぶん》くらいの大《おお》きさに、のばしちゃうんだからねえ。」

人《ひと》をだますときは、キンタマをひろげて、ざしきに見《み》せかけたり、それを頭《あたま》にかぶって、入道《にゅうどう》になったりします。

むかし、宮崎県《みやざきけん》に、俳句《はいく》がメシよりすきな老人《ろうじん》がいました。その老人《ろうじん》のところへ、これまた、俳句《はいく》がイモよりすきな老人《ろうじん》がたずねてきました。

ふたりは、すっかり気《き》があって、イモよりすきな老人《ろうじん》の家《いえ》で、ごちそうをよばれることになりました。

メシよりすきな老人《ろうじん》は、ごちそうをたらふく食《た》べたあと、誤《あやま》ってたばこの火《ひ》をたたみにおとしてしまいました。

すると、とつぜん、たたみがうごきだし、メシよりすきな老人《ろうじん》は、野《の》原《はら》にほうりだされてしまいました。

イモよりすきな老人《ろうじん》は、じつは豆《まめ》だぬきがばけていたのでした。

豆《まめ》だぬき

「このおばけは、
ちょうちん
お岩《いわ》だよ。」

なつまつりのときなど、家《いえ》のき下《した》に、ちょうちんがぶらさがっていますね。

それを、夜《よる》おそくまでながめていると、だんだん大《おお》きくなって、かたちがくずれて、お岩《いわ》さん（怪談《かいだん》「四谷怪談《よつやかいだん》」に出《で》てくるヒロイン）のような、おそろしい顔《かお》に見《み》えてきます。

はやく家《いえ》にかえれば、このおばけを見《み》ないですむというわけですね。

ちょうちんお岩《いわ》

「この子《こ》どもおばけは、ざしきわらしだよ。」

ざしきわらしが、その家《いえ》にすみつくと、その家《いえ》は、金持《かねも》ちになるといわれています。

ぎゃくに、ざしきわらしがその家《いえ》からにげると、びんぼうになるといわれます。

明治《めいじ》四十三年《ねん》のなつ、岩手県《いわてけん》の土淵村《つちぶちむら》の小学校《しょうがっこう》に、とつぜんざしきわらしがあらわれました。

ざしきわらしは、子《こ》どもたちといっしょにあそびたわむれました。

ただし、ざしきわらしは、小学《しょうがく》一年生《ねんせい》の子《こ》どもにしか見《み》えないので、先生《せんせい》たちは気《き》がつかなかったということです。

昭和《しょうわ》五年《ねん》、遠野市《とおのし》の小学校《しょうがっこう》にも、ざしきわらしがあらわれました。

それを見《み》た子《こ》どもの話《はなし》では、夜《よる》九時《じ》ごろ、しろいきものを着《き》た子《こ》どもが、戸《と》のすきまから教室《きょうしつ》に入《はい》り、いすにのったり、つくえのあいだをくぐって、たのしそうにあそんでいたということです。

ざしきわらし

「このおばあさんおばけは、おさかべという名前《なまえ》で、
姫路城《ひめじじょう》の天守閣《てんしゅかく》にすんでいたんだ。」

おさかべは、一年《ねん》にいちどだけ、城主《じょうしゅ》とめんかいしました。

ほかの人《ひと》があおうと天守閣《てんしゅかく》にのぼっていっても、おさかべのすがたは、どこにも見《み》えませんでした。

おさかべのめしつかいは、こうもりです。

天守閣《てんしゅかく》は、物《もの》をおいたりするにもふべんで、あまりつかわれませんでした。そのため、おばけにすみつかれたものと思《おも》われます。

すみついたおばけをおいだすと、どんなたたりがあるか、わかりません。

城主《じょうしゅ》は、天守閣《てんしゅかく》のそばにほこらをつくり、せんぞくの神主《かんぬし》をおいて、うやまったといいます。

おさかべ

「この犬《いぬ》みたいなかわいいおばけは、すねこすりといってね、雨《あめ》の日《ひ》によく出《で》るんだよ。」

とくに、夜《よる》など、きゅうに雨《あめ》がふってきて、こまっているとき、雨《あま》やどりしている人《ひと》の足《あし》のあいだを、右《みぎ》に左《ひだり》にとおりぬけて、すねをこすります。

また、しんぶんしなどを頭《あたま》にのせて、はしっている人《ひと》の足《あし》のあいだを、こすってとおりぬけることもあります。

むかし、岡山県《おかやまけん》のほうにたくさん出《で》たという話《はなし》があるので、もしかしたら、岡山県《おかやまけん》に、すねこすりの巣《す》があるのかもしれません。

すねこすり

「このあいきょうのあるおじいさんは、われらがあいぼう、子《こ》なきじじいだよ。」

子《こ》なきじじいは、四国《しこく》の山《やま》の中《なか》をすみかとしてすんでいます。

山《やま》に人《ひと》がくると、

「オギャー、オギャー。」

と、あかんぼうの声《こえ》を出《だ》してなきます。

人《ひと》が、てっきりすてごだろうと思《おも》ってだきあげると、いきなり、しがみつくのです。

そして、百貫《かん》（やく四百キログラム）ほどの重《おも》さになって、はなれようとしません。

顔《かお》はかわいいのですが、おそろしい力《ちから》をもったおばけで、おそれられています。

子《こ》なきばばあというのもいて、やはり同《おな》じしゅぞくだろうといわれています。

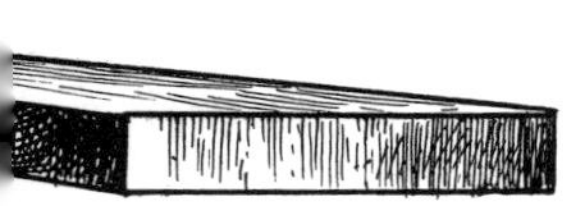

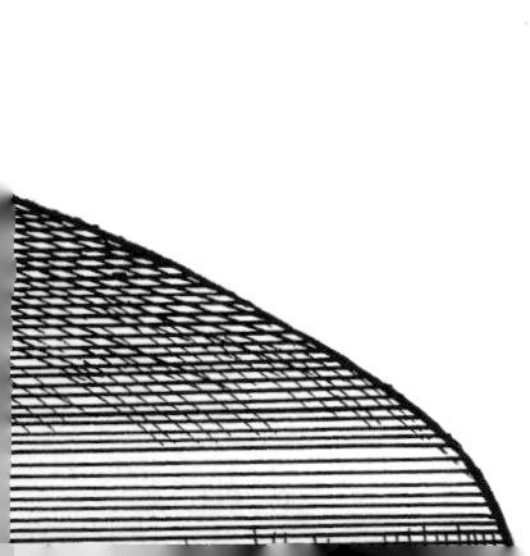

子《こ》なきじじい

「このおばけは、見《み》れば見《み》るほど高《たか》くなっていくのびあがりだよ。」

のびあがりは、かわうそがばけているともいわれています。

地上《ちじょう》三十センチメートルくらいのところをけると、消《き》えてしまいます。

「見《み》上《あ》げ入道《にゅうどう》、見《み》こした。」

というじゅもんをとなえても、消《き》えるそうです。

このおばけは、ものを言《い》うことができません。人《ひと》をおどかしたら、どこかへひっこんでしまいます。

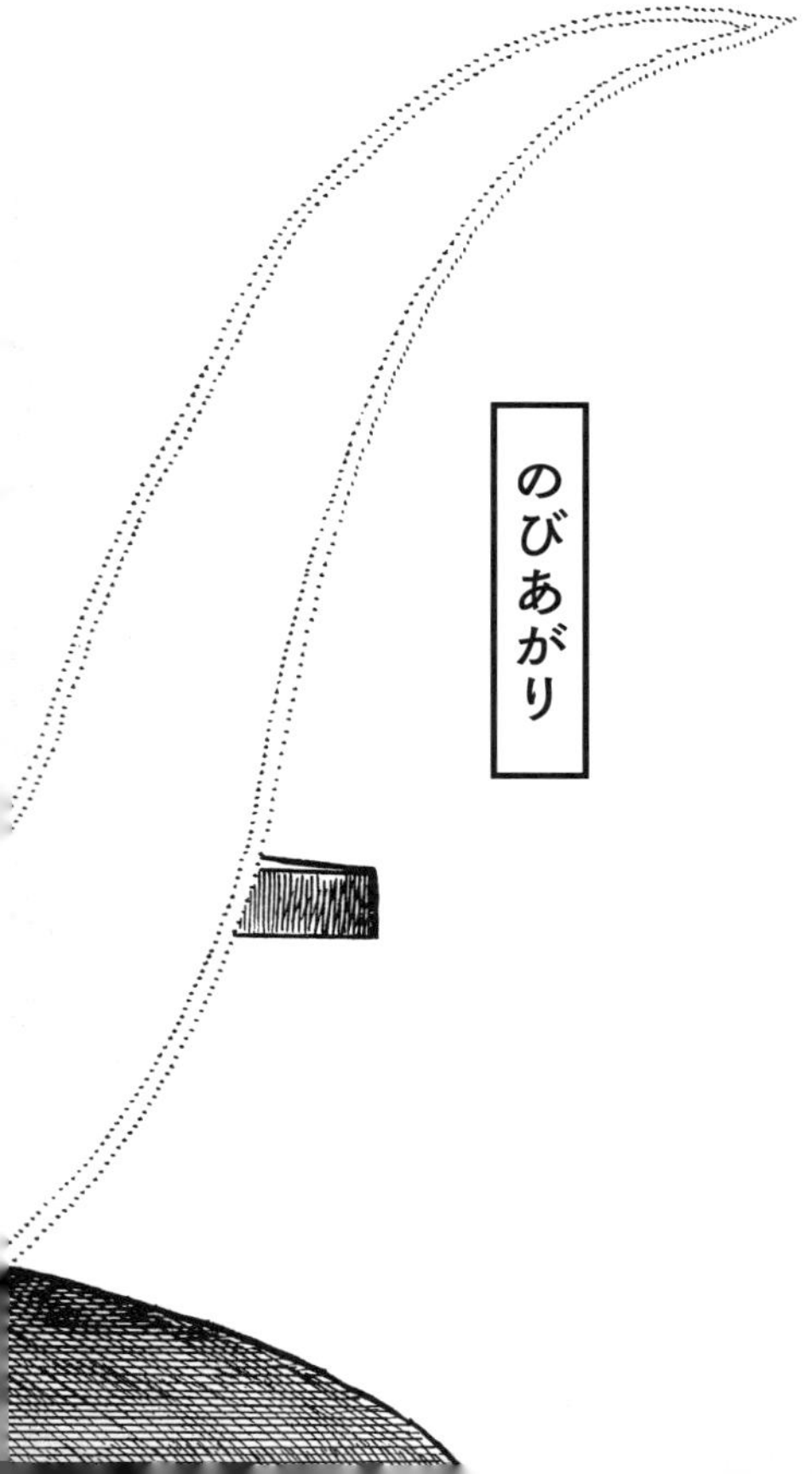

ゆくさきもつげず、
汽車《きしゃ》はどんどん
はしります。
トンネルも、
ぬけました。

家鳴《やなり》

「なんの原因《げんいん》もないのに家《いえ》がきしんだり、へんな音《おと》がすることがないかい？　それは、この家鳴《やなり》のしわざなんだよ。」

家鳴《やなり》は、さまざまな音《おと》をさせます。

それも、一匹《ぴき》や二匹《ひき》でなく、集団《しゅうだん》でやってくるので、オーケストラのように、いろいろな音《おと》が出《だ》せるのです。といっても、車《くるま》や飛行機《ひこうき》のような騒音公害《そうおんこうがい》ではなく、しずかにきいていると、おもしろい音《おと》を出《だ》しています。

音《おと》を出《だ》すだけで、ほかにわるいことをするわけではありません。

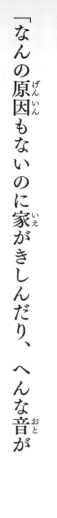

「うわあー、これは!?」
「こいつは、大《おお》かむろといってね、
おかっぱすがたの女《おんな》の子《こ》の妖怪《ようかい》だよ。」
大《おお》かむろの指《ゆび》には、するどいつめが
ありますが、めったにつかうことは

ありません。ただ、とつぜん出《で》るだけなのです。
家《いえ》のしょうじなどをあけると、
いきなりあらわれるので、
気《き》をつけてください。
ふるだぬきが、ばけているのでは
ないかともいわれています。

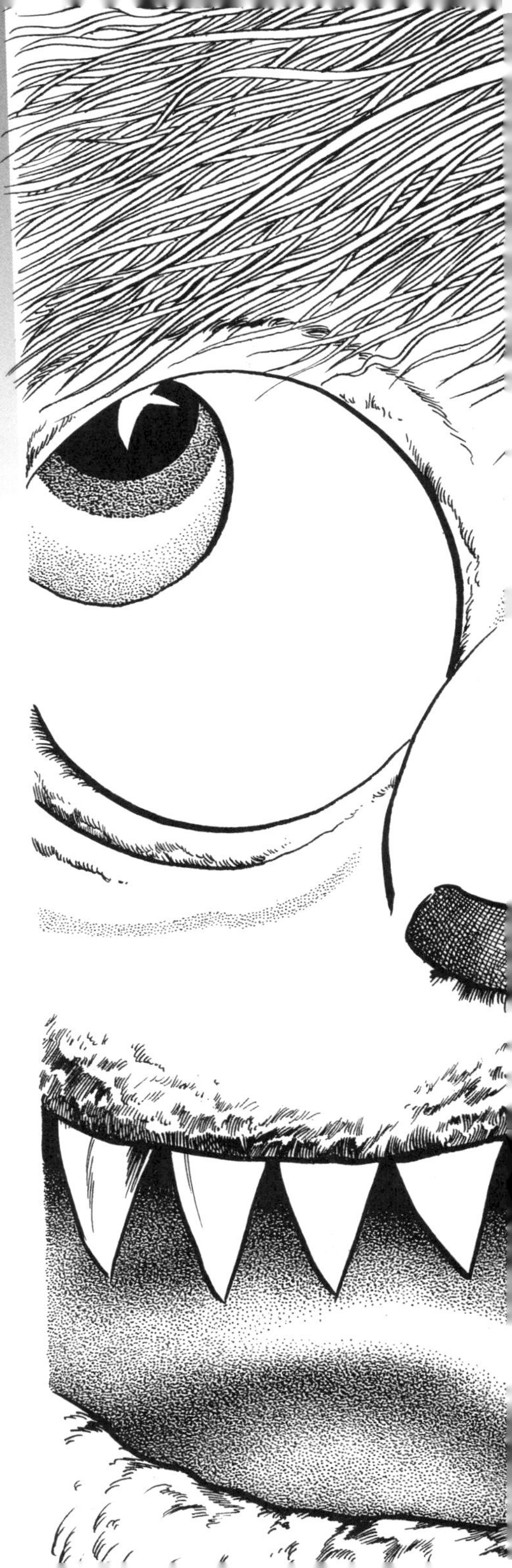

大《おお》かむろ

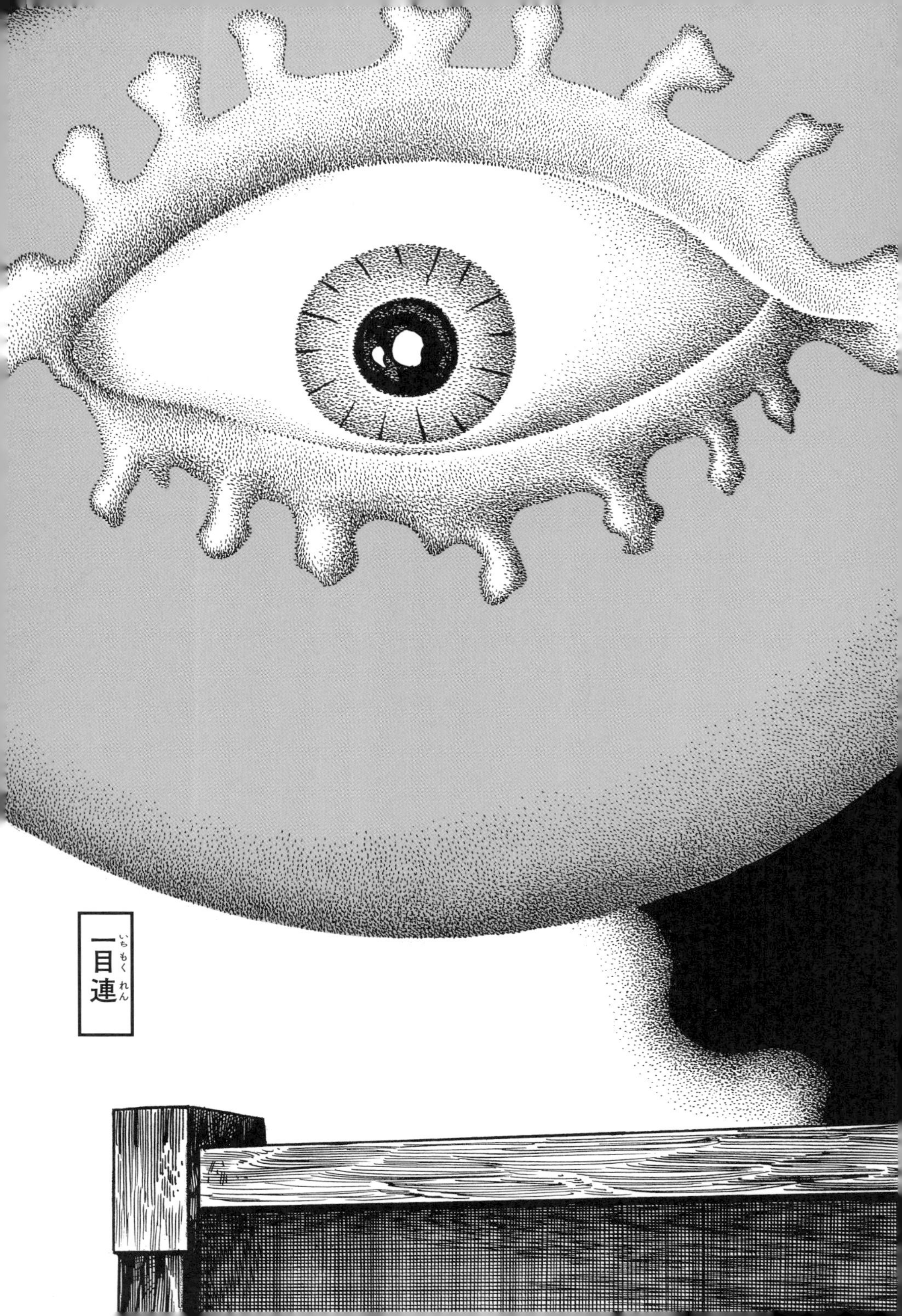
一目連《いちもくれん》

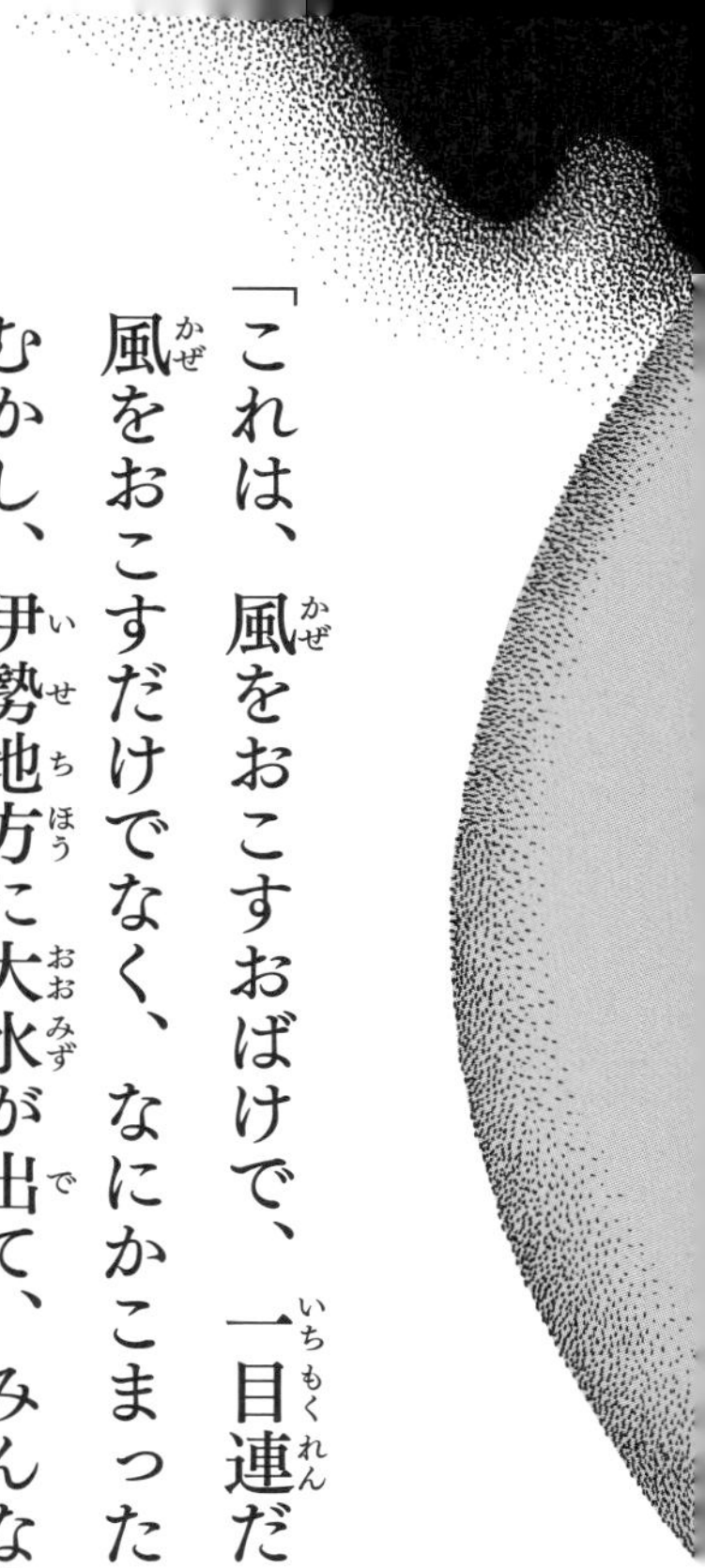

「これは、風《かぜ》をおこすおばけで、一目連《いちもくれん》だよ。」

風《かぜ》をおこすだけでなく、なにかこまったことがあると、助《たす》けてくれます。

むかし、伊勢地方《いせちほう》に大水《おおみず》が出《で》て、みんな木《き》の上《うえ》にのぼったり、やねの上《うえ》にのがれたりしました。

水《みず》はへるどころか、どんどんふえつづけます。

命《いのち》にかかわることなので、みんなで一目連《いちもくれん》におねがいすることにしました。

声《こえ》をそろえて、一目連《いちもくれん》をよんだとたん……。

サーッと、水《みず》がひきはじめました。

いまでも、神社《じんじゃ》のかたすみに、一目連《いちもくれん》というほこらをつくって、まつってあります。いわば、おばけと神様《かみさま》がまざりあっているのです。

「雲外鏡《うんがいきょう》は鏡《かがみ》のおばけで、ふるい鏡《かがみ》の中《なか》にすんでいるんだよ。」

みんながねしずまったころ、鏡《かがみ》の中《なか》からすがたをあらわします。

出《で》てきてなにをするかは不明《ふめい》ですが、ときには、鏡《かがみ》の中《なか》へ子《こ》どもをひきずりこむこともあります。

ただし、これは鏡《かがみ》の霊《れい》なので、百年《ねん》以上《いじょう》たった鏡《かがみ》にしかすみません。

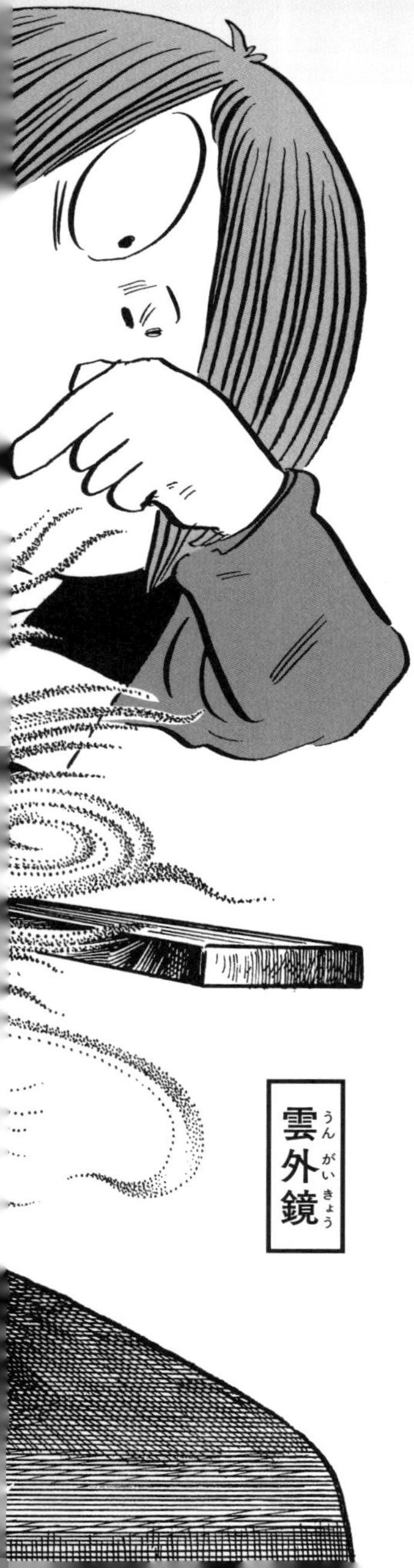

「キジムナーは、ガジュマル（熱帯《ねったい》アジアにはえる木《き》）の精霊《せいれい》なんだよ。」

キジムナーは、沖縄県《おきなわけん》にすんでいます。

人間《にんげん》にもよくなつき、ときには、木《き》こりのしごとをてつだったりします。

魚《さかな》やカニを、このんで食《た》べます。

魚《さかな》は、片方《かたほう》の目《め》だけをくりぬいて食《た》べると、もうあきてしまいます。

そして、のこりの魚《さかな》は、気《き》のあった人間《にんげん》にやるのです。

川《かわ》などで、石《いし》がひとりでにうごくことがありますね。これはキジムナーが、カニとりをしているのだと、いわれています。

こんなのんきなキジムナーも、ウシやウマにいたずらをして、とびはねさせたり、干《ほ》し魚《ざかな》をしっけいすることがあります。

でも、弱点《じゃくてん》がはっきりしているので、すぐ人間《にんげん》にやられます。

ガジュマルの木《き》にしばりつけられるのです。キジムナーは、ガジュマルの精霊《せいれい》なので、すぐおとなしくなります。

ひょうきんな性質《せいしつ》は、カッパにもよくにています。

キジムナー

「こいつは、おもしろいよ。ふかい山《やま》の谷間《たにま》で、ふつうの木《き》のように、はえているんだ。」

ところが、花《はな》がさくと、その花《はな》がまるで人《ひと》の顔《かお》にそっくりなのです。そのため、人面樹《じんめんじゅ》とよばれています。

人《ひと》がそばによると、ただ、ヘラヘラとわらいます。こちらが、わらいかえすと、また人面樹《じんめんじゅ》もわらいます。わらいっこをして、あまりわらわせすぎると、その花《はな》はポトリとおちてしまいます。

人面樹《じんめんじゅ》

九州《きゅうしゅう》は熊本県《くまもとけん》。天草《あまくさ》の草隅越《くさずみご》えという山道《やまみち》に、そのむかし、油《あぶら》すましというおばけがすんでいました。明治時代《めいじじだい》のはじめのことです。

それから百年《ねん》たったある日《ひ》、おさない子《こ》どもをつれたおばあさんが、この草隅越《くさずみご》えにさしかかりました。

おばあさんは、子《こ》どもにせつめいしてやりました。

「ここには、むかし、油《あぶら》すましというおばけがいたんだよ。」

すると、カサカサカサーッと音《おと》がして、

「いまでもいるぞ――。」

と、油《あぶら》すましがあらわれました。

そして、

「おちかづきのしるしまでに……。」

と言《い》って、おばあさんに油《あぶら》をひとびんくれました。

油《あぶら》すまし

泥《どろ》田《た》坊《ぼう》

「このおばけは、泥田坊《どろたぼう》といって、
田《た》んぼに出《で》るおばけだよ。」
むかし、おひゃくしょうさんは、
いっしょうけんめいはたらいて、
やっとの思《おも》いで、自分《じぶん》の田《た》を
のこしました。
その田《た》をうけついだ
ものが、なまけて
たがやさなかったり、
人手《ひとで》にわたしたりすると、
泥田坊《どろたぼう》が出《で》てきて
さけびます。
「田《た》んぼをかえせーっ!!」

鬼太郎《きたろう》のせつめいが、
おわりました。
ギギー、ゴトン。
それをまっていたかのように、
汽車《きしゃ》がとまりました。
「ゲンくん、アッコちゃん、
きみたちの家《いえ》のちかくに
ついたよ。」
まどから、そとを見《み》ると
ふかいきりがかかって
いました。どうやら、
明《あ》けがたのようです。

ふたりは、いそいで
とびおりました。
すると、「ブルートレイン
おばけ号《ごう》」は、音《おと》もなくきりの
中《なか》に、消《き》えてしまいました。
ゲンとアッコは、せんろを
追《お》っていこうとしました。
ところが、せんろは
どこにもなく、あるのは、
ただあぜ道《みち》だけでした。
ふたりは、ちゅうをあるいて
いるような気《き》もちで、
家《いえ》にむかいました。

「おかあさーん。 おばけ号《ごう》に乗《の》ってきたよ！」
ふたりは、大声《おおごえ》でおかあさんをよびました。
とんで出《で》てきた、
おかあさんは、
「こんなにしんぱい
させておいて、
おばけ号《ごう》でも
ないでしょ!!
まったく、
山《やま》のおばけにでも
つれていってもらえば
いいんだよ！」
と、ふたりをしっかり
だきしめました。

水木しげる

1922年、鳥取県境港市出身。同市の高等小学校を出て大阪にゆき、いろいろな職業につきながら、いろいろな学校を出たり入ったりする。戦争で左腕を失う。著書には『ゲゲゲの鬼太郎』『悪魔くん』『河童の三平』『日本妖怪大全』などがある。

※本書は、1980年にポプラ社より刊行された『水木しげるのおばけ学校③　ブルートレインおばけ号』を再編集したものです。再編集にあたって、一部、現代の社会通念や人権意識からは不適切と思われる表現を修正しております。
※妖怪の説明には、一部、本書独自のものがあります。

ブルートレインおばけ号

新装版　水木しげるのおばけ学校③

2024年9月　第1刷

著　者　水木しげる
発行者　加藤裕樹
発行所　株式会社 ポプラ社
〒141-8210 東京都品川区西五反田3-5-8
JR目黒MARCビル12階
ホームページ　www.poplar.co.jp
印刷・製本　中央精版印刷株式会社
デザイン　野条友史（buku）
ロゴデザイン協力　BALCOLONY.

落丁・乱丁本はお取り替えいたします。ホームページ（www.poplar.co.jp）のお問い合わせ一覧よりご連絡ください。

N.D.C.913 ／ 111P ／ 22cm ISBN 978-4-591-18268-0
P4184003